北欧の
心地よい暮らしと
55の小さな幸せ

tanuko

KADOKAWA

Introduction

　こんにちは。スウェーデンに暮らすtanukoです。

　初めての海外は大学生のとき。「言葉が通じない……」、それは新鮮な驚きでした。団体旅行でフランスを訪れ、楽しみにしていた自由行動に。フランス語はもちろん話せず、私のつたない英語も全く通じません。ホットココアを注文したのに、フライドポテトが出てきたことも。ただ、伝わらない不便さは、好奇心旺盛な私の心に火をつけました。そして「いつか海外に住んで、その国の暮らしを肌で感じてみたい」という気持ちが芽生えていったのです。

　ある日、スウェーデンのヴィンテージ食器に一目惚れをしたことで、北欧に興味をもつようになりました。働きながらスウェーデン語の学校に通い、クラスメイトだった日本人の夫と出会いました。そして、結婚を機にスウェーデンへ移住。

　新しい暮らしは、私の想像を遥かに超えた喜びがあり、また幾度となく挫折も味わいました。しかしどんなに辛いときでも、スウェーデンの美しい自然や、ゆっくりと流れる時間、人々の優しさを思い出すと、「この地に踏みとどまっていたい」という気持ちになるから不思議です。そして家族、愛猫のウリとハナ、友人たちも大きな心の支えになっています。

　私は移住当初から、スウェーデンの文化や習慣に積極的に触れてみようと決めていました。実際に人々の価値観や知恵を学び、日々の生活にとり入れてみると、居心地がよくなり、暮らしが彩られていくような感覚を覚えました。

　小さな幸せは、何気ない日常の一コマに溢れています。この本に込めた、私が思う"北欧の心地よい暮らしと55の小さな幸せ"。この本が、自分なりの心地よさや小さな幸せを見つけるヒントになれば幸いです。

Contents

Chapter 1.
日々と季節のルーティン
Daily & Seasonal Routine

Column

Chapter 2.

私の北欧暮らしのとっておき
My Favorites

Column

Chapter 3.

スウェーデンらしさをとり入れる
Swedish Things

Chapter 4.

より豊かに生きるための北欧流マインド

Ideas

Column

デザイン　塙 美奈 [ME & MIRACO]

イラスト（カバー、章扉）　BENGT & LOTTA

イラスト（本文）　イオクサツキ

写真　tanuko、めがね君

構成・編集協力　八木美貴

DTP　谷 敦 [アーティザンカンパニー]

校正　麦秋アートセンター

編集　馬庭あい、鎌田怜子 [KADOKAWA]

スウェーデンってこんな国！

海に面したスカンジナビア半島に位置し、隣接するノルウェーやフィンランド、デンマークとともに北欧諸国のひとつとして知られるスウェーデン。まずは国全体の特徴や有名なものなど、基本情報についてご紹介します。

キールナ
Kiruna

ラップランド地方に属する北部の都市で、夏は白夜、冬はオーロラといった北欧らしい大自然が楽しめる。

ヨーテボリ
Göteborg

18世紀に交易拠点として発展した歴史をもつ、スウェーデン第2の都市。自動車メーカーのボルボの本社がある。

マルメ
Malmö

移民が多く国際色豊かな街。海峡を挟んだ向こう側にあるデンマークの首都コペンハーゲンとオーレスン橋で結ばれたスウェーデン第3の都市。

ストックホルム
Stockholm

北欧最大の都市であるスウェーデンの首都。いくつもの島から成り、「水の都」とも称される。歴史ある旧市街ガムラ・スタンなど見どころも多い。

クルマ

北欧諸国の中で唯一、量産自動車メーカーがあるスウェーデン。トップシェアのボルボはデザインと安全性が自慢。

ダーラヘスト

ダーラナ地方発祥の伝統工芸品として知られる木彫りの馬。幸せを運ぶ馬として愛される、スウェーデンの象徴です。

家具

自然素材の温かみを感じる家具が豊富。生活空間を充実させる、実用性とデザイン性に優れた家具が多数生まれました。

ノーベル

ダイナマイトを開発して富を築いた化学者。その遺産でノーベル賞を創設し、今も世界中でその名が知られる偉人です。

自然

広い国土に森や湖が点在し、人と自然が共存して暮らしてきた歴史をもつスウェーデン。世界有数の環境先進国です。

ブランド

人口は日本の10分の1ほどと少なくても、有名なグローバル企業を多数生みだしています。確固たるブランド力で躍進中。

スウェーデン王国
Kingdom of Sweden

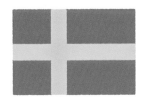

国旗：青地に黄十字が描かれ、青は澄み渡る空や海・湖を、黄色は王冠を象徴し、自由や独立を表しているという説がある。
通貨：スウェーデン・クローナ(SEK)を使用。ユーロは使えない。
面積：約45万k㎡（日本の約1.2倍）
人口：約1033万人（日本の約10分の1）
言語：スウェーデン語。多くの国民が英語を話すことができる。
日本との時差：日本時間からマイナス8時間。サマータイムは7時間となる。

私が住むスコーネ地方を紹介します

スウェーデン南部のスコーネ地方は見晴らしのよい平地が特徴。一面に広がる菜の花畑は春の風物詩です。スウェーデン第3の都市マルメや学生の街ルンド、港町ヘルシンボリ、中世の街並みが残るイースタッドなど、魅力的な街がたくさん。かつてデンマーク領だった頃の名残を感じられ、他の地方とは違った雰囲気を楽しめます。隣国、デンマークとはオーレスン橋でつながっています。

スコーネ
Skåne

● ヘルシンボリ

コペンハーゲン
（デンマーク）
● ルンド
● マルメ
オーレスン橋
● イースタッド

About tanuko

猫と北欧暮らし tanuko

2018年にスウェーデンに移住。日本人の夫と2匹の姉弟猫、ウリとハナとともに暮らしています。スウェーデンの友人から学んだ文化や、普段の暮らしの様子を撮影・編集し、YouTubeチャンネルで動画を配信中。フィーカ（お茶とお菓子）の時間と北欧のヴィンテージ食器、伝統楽器ニッケルハルパの演奏をこよなく愛しています。

（弟）ウリ→

←ハナ（姉）

Chapter 1.

日々と季節のルーティン
Daily & Seasonal Routine

毎日の習慣にしていることや、季節ごとのお出かけ。
そんな自分なりの小さなルーティンや楽しみが、
生活のリズムを整えてくれ、
心地よく暮らす秘訣にもなっています。

いつでもどこでも太陽を求めて日光浴

　公園の芝生の上で、水着姿や上半身裸の姿で日光浴をしている人を見かけると、「あぁ、今年も夏がやってきたな」と感じます。冬の間、日照時間が短くなるスウェーデンでは、太陽の光は元気の源。光に恵まれる夏の間は寸暇を惜しんで日光浴を楽しみます。少しでもお日様が出ようものなら、公園で、ベランダで、海岸の砂浜で、たくさんの人々が日光浴をしています。道路脇の芝生で日光浴をしている人を初めて見たときは、倒れているのではないかと心配したくらいです。

　街中のレストランやカフェでも、夏はテラス席が大人気。店内は空いているのにテラス席は満席、なんてこともよくあります。外にヒーターを設置しているお店も多いので、冬であっても天気のいい日はテラス席に座ることは決して珍しいことではありません。

　スウェーデンに来た頃は冬も平気だった私ですが、だんだんと年数を重ねていくうちに、暗くて長い冬にちょっぴりうんざりすることも。

　だからこそ、天気がいい日はベランダに出たり、散歩をしたり。一身に日光を浴びて、太陽の恵みを味わいます！

a スコーネ地方の海岸には美しい砂浜が広がっています。夏にふらりと立ち寄って日光浴をしたり、アイスクリームを食べるのが楽しみのひとつ。

b 毎年8月に開催されるマルメフェスティバーレン（P.104）にて。太陽が沈むまで、たっぷりと日光を浴びます。

心地よい朝の始まりはドリップコーヒーから

　私が大切にしている朝のルーティンのひとつが、ハンドドリップでコーヒーを淹れること。ドリップに集中し、コーヒーが落ちていく様子を見ていると、自然と心が落ち着きます。また、コーヒーの香りがすっきり目を覚ますスイッチにも。同じ豆でも淹れ方によって味が変わるので、自分好みの美味しいコーヒーが淹れられたときは、「今日はいい日になりそうだな」と嬉しくなります。

　北欧は世界的に見てもコーヒー消費量が多い地域。スウェーデンにはFika（フィーカ）という、コーヒーとお菓子を楽しむ習慣があります。そのため、1日に何度もコーヒーを飲む人が多いです。スウェーデン国内でも地域別に特色があり、南部に位置するスコーネ地方は深煎りの濃いコーヒーが主流。北部ではもっと酸味が強いコーヒーを飲む人が多いようです。私のお気に入りの豆は、老舗のコーヒーメーカー、ZOÉGAS（ゾエガス）のスコーネロースト。地元で長く愛されている、風味豊かな深煎りコーヒーです。

　いつも使っているコーヒーの道具は日本から持ってきたものが使いやすくて便利。季節や気分に合わせてカップを選んだら、さわやかな一日の始まりです。

a　マリメッコの花柄の缶にはコ
ーヒー、猫の絵の缶にはほうじ茶、
葉っぱ柄のベルサの缶には紅茶の
ティーバッグをそれぞれストック。
b　月兎印のほうろうポットを愛
用中。同じくほうろう製のドリッ
パーや KINTO のサーバーも、日
本から持ってきたもの。

食事の後の合言葉「散歩に行く?」

　スウェーデン人の友人の家に遊びに行って食事をした後、「今から散歩でもする?」と誘われることがよくあります。日本に住んでいた頃は、友人の家に遊びに行くと、食後はデザートを食べながらおしゃべりをしたり、映画を観たりと、そのまま家で過ごすことが多かったように思います。だから、散歩のお誘いは新鮮な驚きでした。

　とある夏の日、友人夫妻の家を訪ねたときも散歩に行きました。てっきり近所を軽く歩く程度かなと思っていたら、車で国立公園へ行き、草木をかき分け、坂を上り下りするという予想外の展開。1時間以上のなかなかハードな散歩でした。歩きながら、「私たちは夕飯後にこの散歩コースをよく歩くんだ」「この川にはビーバーが住んでいるから耳を澄ませてみよう」といった話をします。服にはひっつき虫が付き、急に出会う牛の大群に驚きながら、すっかり汗だく。でも心地よい疲労感と爽快感があり、なんだか友人との心の距離も縮まった気がします。

　私も友人が家に遊びに来たら、「今から散歩でもする?」と言って、お気に入りの散歩コースを案内してみようかな。

a　ルンドの公園で見かけたカモた
ち。街の中で野生動物に出会えるの
もスウェーデンの魅力。
b　一面に広がる麦畑を眺めながら
の散歩。すがすがしい気分になるお
気に入りの散歩コース。

Daily & Seasonal Routine

食材の買い出しは週に1回で合理的に

　冷蔵庫の中身を確認し、ざっくりと1週間のメニューを考え、買い物リストを書いてスーパーマーケットへ行く。それが私の、週に1度の買い物ルーティンです。お店では同じようにリストを手に買い物をしている人の姿がちらほら。リストを見ながら、商品をカゴに入れていると、ふと運動会の借り物競走を思い出します。頻繁に買い物をするよりも、週に1度まとめて買い物をして時間を節約し、家族と過ごす時間を大切にする人は少なくありません。

　東京に住んでいた頃は、24時間営業のスーパーマーケットやコンビニが家の近くにあり、ほぼ毎日のように買い物をしていました。誘惑に勝てず、予定外のものを買ってしまうことも。スウェーデンに移住してからは、週に1度の買い物が習慣になり、冷蔵庫の食材が少なくなってきたら、「○○があるから、これが作れるかな」と柔軟に考えるようになりました。少し不便さを感じるときもありますが、その分、無駄なものを買わずに済み、時間とお金の節約につながっています。

　でも、ふらりと深夜のコンビニに立ち寄って食べる夏の日のアイスや、冬に食べる熱々のおでんは最高だってことは忘れていません。

a　オートミールやオーツミルク、パンに塗る魚卵ペーストなど、いつも常備している食品。カゴにはキャスターが付いていて便利です。

b　小型のバーコードリーダーを持ち、商品をカゴに入れるたびに自分でスキャンするのがスウェーデン流。レジに並ぶ必要がありません。

a

b

スウェーデン人が愛するフィーカの習慣

　スウェーデンで暮らしていると必ず耳にする言葉「フィーカ」。コーヒーとお菓子をいただきながら、仲間や家族とコミュニケーションをとる憩いの時間です。1日に何度もフィーカをすることもあり、暮らしに深く根付いています。

　職場でもフィーカは大切にされています。日本でいう"アフターファイブ"のような、仕事終わりに飲みに行く習慣はほとんどなく、仕事が終わればすぐに家に帰って、家族とゆっくり過ごします。その代わり、フィーカを通してコミュニケーションをとっているのです。私が通っていた語学学校でも、休憩の時間になると「さぁ！　フィーカの時間よ。コーヒーを飲みましょう」と、先生も生徒も毎日フィーカを楽しみます。

　ひとりフィーカもまた、私の大切な時間です。家でリラックスしたいとき、仕事や勉強の合間にひと息つくときにフィーカをして心のバランスを保っています。伝統楽器ニッケルハルパ（P.52）の演奏仲間と、持ち寄ったお菓子でフィーカをするのも大好きです。さまざまな話題が飛び交うので、私の貴重なスウェーデン語の勉強の場にもなっています。

a　ニッケルハルパグループの集まりでは、持ち回りで仲間を自宅に招き、ホストとなってお菓子を担当します。こちらは友人手作りのトスカケーキ。

b　夏に旬を迎えるイチゴがたっぷりのったケーキで、ひとりフィーカ。

c　友人宅を訪れたときの楽しみのひとつが、楽しくおしゃべりしながらのフィーカ。友人がおすすめのカフェで買ってきてくれたお菓子たち。

a

b

c

d

e

d　ストックホルムに行くたびに訪れるカフェ「Vete-Katten」(ベーテ カッテン)。1928年創業の、歴史がある人気店です。

e　美味しいケーキとコーヒーで、友人との会話も弾みます。

f

g

f　マルメ旧市街にあるカフェ「Lilla Kafferosteriet」(リラ・カフェロステリエット)。自家焙煎のコーヒーと一緒にシナモンロールをいただきます。

g　コーヒー焙煎所を併設しており、店員さんにおすすめのコーヒーを相談して、購入することもできます。

h

家でもカフェでも職場でも、
いつでもフィーカでひと休み

h　夏によく訪れるお気に入りの
ガーデンカフェ（P.66）にて。
i　ニッケルハルパの演奏仲間の
お宅で。奥様と娘さんも一緒に会
話を楽しみます。

i

Daily & Seasonal Routine

06

ほっとひと息、ベランダでのリラックスタイム

　コーヒーを片手にベランダへ行き、新鮮な空気を吸うと、すっと力が抜けていくのがわかります。私にとってベランダは、太陽の光を浴びて、のんびりと過ごすことができる癒やしの場所。

　日本では、よく洗濯物を干す場所としてベランダを利用しますが、スウェーデンでは乾燥機を使うのが一般的なので、あまり外に洗濯物を干す習慣がありません。春になると季節の花やハーブを育てたり、テーブルと椅子を置いて、フィーカや食事をしている人たちをよく目にします。ベランダはもうひとつの部屋のような感覚なのです。

　我が家でも以前は、テーブルと椅子を置いて食事がとれるようにしていましたが、簡易的なソファに置き換え、よりリラックスできる空間になりました。お気に入りのクッションを並べ、肌寒い日はブランケットを膝に掛けたら準備万端。コーヒーを飲みながら本を読んだり、何をするわけでもなく、ただ空を眺めて過ごします。また、夫とそれぞれ食べたいもの、飲みたいものを持ち寄って、足湯をしながらベランダで映画を観る時間も、最高の癒やしになっています。

a

a　特別なことはせず、ただ空を
見上げて飛行機や雲を眺めるの
が好き。
b　リラックスできるようにとベ
ランダに導入したIKEAのソファ。

b

癒やしをくれる猫との時間

　我が家の愛猫、ウリとハナ。夫が知人から譲り受けて飼い始めた後に私が移住したので、スウェーデン暮らしの先輩です。それまで猫と出会うことがほとんどなかったので、人生で初めて触れた猫がウリとハナ。どう接したらいいか戸惑っている私の前に、ウリがちょこんと座り、頭をなでさせてくれた瞬間から、猫好きの扉が開かれました。

　スウェーデンの夏は涼しい日が多いので過ごしやすく、冬は室内ならどの部屋も暖かく保たれているので、猫も快適のよう。賃貸でもペット可な物件がほとんどなので、犬や猫を家族の一員にしている人がたくさんいます。

　姉弟でも性格が違うウリとハナ。人懐っこい性格のウリは、なれるのも早く、私が勉強や作業をしていると、いつもそばをウロウロ。ハナは人見知りで、仲良くなるまでに時間がかかりましたが、私に心を許してくれた今では、どこでも私の後ろをついてきます。スウェーデンに移住したての頃は知り合いもおらず、孤独を感じるときもありましたが、ウリとハナが心の支えとなってくれたことに感謝しています。そして今も、毎日幸せをくれる大切な家族です。

a

b

a　体の模様が「うり坊」に似ていることから、夫が名付けたウリ。やんちゃで、テーブルの上でも我が物顔。

b　2匹揃ってリラックスタイム。私のお気に入りのカゴやブランケットはいつもウリとハナに取られてしまいます。

c　狭いスペースや暖かいところが大好き。カゴの中も居心地がよいのかな？

c

冬に欠かせないビタミンD

　暗く長い、北欧の冬。私の住んでいる南スウェーデンでも、冬はお昼の3時頃から日が沈み始めます。日中もどんよりとした曇り空が続き、太陽が顔をのぞかせる時間はとても短いです。私もそんな天気につられて気分が落ち込む日がありますが、それは気持ちの問題だけではなく、体内のビタミンDが不足しているからかもしれない、と知りました。別名「太陽のビタミン」ともいわれるビタミンDは、日光を浴びることによって体内で生成されます。丈夫な骨や歯をつくったり、心の健康を保つのに大事な栄養素です。

　スウェーデンでは毎日無理なく摂取できるように、ビタミンDが添加された牛乳やヨーグルトが販売されており、私も週に1度のお買い物で牛乳を必ず購入して常備しています。そのまま飲むのはもちろん、スープに使ったり、コーヒーに入れたりと、こまめに摂るのが毎日の習慣です。サプリメントも豊富に販売されているので、私はビタミン類と、魚の脂に豊富に含まれる「オメガ3」が配合されたサプリメントを、日が短くなる秋頃から飲むようにしています。北欧でご機嫌に暮らすために、欠かせないアイテムです。

a　健康と美容によいとされるオメガ3脂肪酸と、ビタミン類が配合されたサプリ。
b　yoggi（ヨギー）はスウェーデンで人気のヨーグルト。
c　メラミン製のケースには、夜に飲むサプリメントや薬をまとめて収納。キッチンの一角が定位置です。

a

b

c

食べて楽しむ○○の日

　スウェーデンでは、「○○の日」として決まった食べ物をいただく習慣があり、私も季節ごとに心待ちにしています。

　たとえば「セムラの日」。セムラはカルダモンを練り込んだパンにアーモンドペーストと無糖のホイップクリームをたっぷりと挟んだもので、春を告げるお菓子として親しまれています。その歴史はキリスト教と深い関係があり、イースターの数週間前の火曜日は、翌日から始まる断食に備えて栄養価の高いセムラを食べる風習がありました。断食がなくなった今は、その火曜日が「セムラの日」に。この日は職場や家庭でセムラが食べられ、春に包まれたかのような一日になります。

　日々のフィーカのお供としても定番のシナモンロール。10月4日の「シナモンロールの日」はいつにも増して街のカフェやベーカリーが混み合い、一年で最もシナモンロールが売れる日でもあります。

　3月25日は「ワッフルの日」。ハート形に薄く焼き上げた生地の上にジャムや無糖のホイップクリームなどをトッピングして食べるのがスウェーデン流です。

　私ももちろん、季節ごとの○○をいただき、この国の食文化を楽しんでいます。

a

b

a　季節限定で販売されるセムラ。この時季はカフェでもやっぱりセムラが人気。

b　生クリームたっぷりで食べ応えがあり、カルダモンが効いています。

c

c,d　みんな大好きなシナモンロール。10月4日には街のベーカリーはシナモンロール一色に。

e　サクサクの薄焼きの生地の上に、クリームやフルーツをたっぷりのせたワッフル。

d

e

日々の小さな喜びを重ねる幸せ

　焚き火を囲んでいるとき、ふとスウェーデン人の友人が「幸せな時間だね」と話してくれたことがありました。きれいな夕焼けが広がり、ねぐらのある森へ帰る鳥たちの声。何もせず、焚き火を見ているだけなのに、確かにそこには幸せが満ち溢れていました。

　その出来事があってから、何気ない瞬間に感じる小さな幸せを見つけるのが上手になった気がします。どこまでも続く青空の心地よさや、夏に「今日は暑いね」と言いながら食べるアイスクリーム。そして家族と一緒に過ごす穏やかな夜。

　数年前に愛猫のウリが急に体調を崩し、入院をしたことがありました。現在は見違えるように元気になりましたが、その経験から、いつもと変わらない日々を送れるということは奇跡の連続なんだなと、ウリから教えてもらいました。

　大きな幸せについ目が行きがちですが、日常の中にある小さな幸せに目を向けると、それまで気づけなかった“ありがたみ”を感じて、心が穏やかになるような気がします。何も特別なことがなくても、「変わらない」ということは、幸せのひとつの形なんだなと実感する日々です。

a　日本を離れて恋しくなるラーメン。コペンハーゲンに行くと必ず立ち寄るお気に入りのラーメン屋さんで。これもささやかな幸せです。
b　自然の中でのフィーカにはとても癒やされます。

a

b

Daily & Seasonal Routine

家事はゆるく分担する

　男女平等の考え方が社会から家庭にまで浸透しているスウェーデン。共働きの夫婦が多く、家事も夫婦で分担するのが一般的です。

　以前、友人夫婦の家を訪ねたときのこと。旦那さんが庭で採れたリンゴを使ったお手製のケーキで、私たちをもてなしてくれたことがありました。男性がお菓子作りや料理をすることは決して珍しいことではありません。

　我が家でもスウェーデン人にならって、家事を分担しています。ポイントはきっちりと決めずに"ゆるく"分担すること。夫は平日は夜7時頃に仕事を終えて帰宅します。一方私は在宅ワークで時間の融通がきくので、平日は私が夕飯を作り、後片付けは夫の担当です。週末に夫が料理を作ってくれるときは、私が片付けや洗い物をサポートをすることもあります。連係プレーで時間の短縮になり、また夫婦のコミュニケーションにもなっています。忙しいときは、「今ちょっと手が離せないから、洗濯をしてもらってもいい？」とお願いすることも。

　そのときの状況やそれぞれの得意、不得意に応じて、お互いに負担にならないよう臨機応変に行うのが、気持ちよく家事をするコツかなと思っています。

a スウェーデンのキッチンには
食器洗浄機が付いていることが
多く、食器洗いは機械に任せて、
食後はのんびりと過ごす時間に。
b ポーランド生まれの食器用洗
剤YOPEとお気に入りのブラシ。
c イギリスの掃除機のチャール
スをリメイクしたバケツ。トレイ
を蓋代わりにし、中には掃除道
具を収納しています。

パッケージも楽しい薄焼きパン、クネッケ

　パリッとした食感の堅い薄焼きパン、"クネッケブロード"はスウェーデンをはじめ、北欧各国で食べられています。1000年以上前のバイキングの時代から食べられていたという長い歴史があります。保存がきくので航海時の食料として重宝されていました。

　低カロリーで食物繊維が豊富なクネッケは、スウェーデンの食卓に欠かせません。スーパーマーケットでは基本のライ麦ベースのほか、オートミールやハーブ、スパイス入りなどさまざまな種類があります。クリスマスの時季はアニスやフェンネルなどの特別なスパイスが入ったクネッケが店頭に並びます。チューブに入った魚卵ペーストやチーズ、バターを塗って気軽に食べたり、ちょっと豪華にゆで卵やアボカド、ハムなどをのせてオープンサンドのように食べても美味しいです。

　私はクネッケを専用の缶に入れて常備しています。この缶はダーラナ地方に旅行したとき、クネッケの有名メーカー、Leksands Knäckebröd（レクサンド・クネッケブロード）で購入した思い出の品。クネッケは普通のパンより保存性も高く、パッケージもかわいいものが多いので、お土産にするのもおすすめです。

a　日本のたらこに似た魚卵ペースト、KALLES（カレス）はスウェーデンのキッチンに必ずあるといってもよい定番の味。

b　パッケージのかわいらしさに惹かれて、つい買うことも。

c　チューブに入ったチーズは、ベーコン、エビ、ザリガニなど風味のバリエーションも豊富。クネッケとの相性も抜群です。

13

普段使いで大活躍のペーパーナプキン

　食事をするにも、フィーカをするにも頻繁に登場するのがペーパーナプキン。マリメッコやイッタラなどの北欧デザインブランドをはじめ、スーパーマーケットや IKEA などでも色鮮やかなナプキンがたくさん売られています。

　日本に住んでいた頃から、かわいいペーパーナプキンを気に入って購入していました。しかし、友人をおもてなしするときに使うくらいで、なかなか日常的に使う機会がありませんでした。

　スウェーデンではもっと気軽にペーパーナプキンを使います。食事のときに広げて膝に掛けたり、手軽なお皿代わりとしてさっと敷いたり。もったいないからと使わずにいるより、どんどん使ったほうが食卓も彩られ、楽しく食事ができるということに気がつきました。

　お皿を揃えるよりも気楽に、気に入った柄をとり入れられるのもペーパーナプキンのいいところ。イースターの時季は黄色、クリスマスは赤や緑など、季節やイベントごとにさまざまな色、柄のナプキンが販売されるので、そのときどきでテーブルコーディネートを楽しんでいます。

a　ナプキンスタンドのバリエーションも豊富。フィーカにはお気に入りのムーミンのナプキンスタンドで、テーブルを少し華やかに。

b　クネッケにバターを塗って手軽な朝食を。ペーパーナプキンを使えば洗い物をしなくて済むので効率的。

大好きなベングト＆ロッタさんに会いに行く

BENGT & LOTTA

ベングト・リンドベリとロッタ・グラーベ夫妻によるデザイン
ユニットで、スウェーデンを代表するクリエイターとして知ら
れています。彼らが描くイラストはさまざまなプロダクトに
採用され、日本でも親しまれています。
http://www.bengt-lotta.se

　北欧らしいモチーフを温かみのあるタッチで描くデザイナーご夫婦、ベン
グト＆ロッタさん。お二人の作品は、ブランケットやペーパーナプキン、エ
プロン、トレイなど、さまざまな生活雑貨になっており、日本でも手に入れ
ることができます。私は日本に住んでいる頃から、見ているだけで幸せな
気持ちになれる、ほっこりかわいい作品のファンでした。十数年前に初め

てお店に行ったとき、ロッタさんがいらっしゃいましたが、緊張して声をかけることができず……。しかし、今回思い切って書籍のカバーイラストを依頼したところ、なんとご快諾！　本書にぴったりの素晴らしいイラストに仕上げてくださいました。

　スウェーデンらしい自然や動物、フィーカなどこの本に出てくるモチーフに、ウリとハナも加わった素敵なカバーイラストを描いてくださったお礼を伝えに、ストックホルムにあるアトリエ兼ショップにお邪魔してきました。

　お二人のデザインはどんなところから生まれているのかを知りたくて、「スウェーデンの好きなところ」について伺ってみました。ベングトさんとロッタさんに共通しているのは、「街の中に公園や水辺があり、自然豊かなところ」。お二人の作品のモチーフに欠かせない要素でもあります。また、「ベビーカーを押して電車やバスに乗りやすく、小さな子どもを連れてストレスなく出かけることができる環境が整っているところも好き」とロッタさん。お二人と一緒にフィーカをしながら改めてスウェーデンの魅力を知り、楽しい時間を過ごしました。

　本書を手に取ってくださった皆様にも、カバーイラストから、お二人の、そしてスウェーデンの温かさを感じ取っていただけたら嬉しいです。

私の家でもベングト＆ロッタ作品が大活躍。まな板ホルダーとして使っているナプキンスタンドや、玄関脇に取り付けたキーフック、天使のオーナメント。目に入るたびに嬉しい気持ちになる、お気に入りです。

便利は享受し、不便は楽しむ！
スウェーデン暮らしのあれこれ

北欧暮らしの中で小さな幸せをたくさん見つける一方で、日本で当たり前だったものが手に入らない不便さも感じます。日本とスウェーデンの小さな違いや、工夫をご紹介。

ホテル滞在時の入浴剤
自宅にはバスタブがないので、旅行ではなるべくバスタブのある部屋を選びます。日本で買った入浴剤を使うのがひそかな楽しみです。

新鮮な魚が恋しい！
スウェーデンのスーパーマーケットには新鮮な魚の品揃えが少なく、冷凍ばかり。家でお寿司を食べたいときは、海の近くにある市場へ足を運びます。

便利なキャッシュレス決済
スウェーデンは徹底したキャッシュレス社会。銀行口座と紐づいたスウィッシュ決済は、スマートフォンひとつで支払いを済ますことができて便利。

パーキングディスク
時間の制限がある無料の駐車スペースに車を停める際に使うディスク。円盤を回して駐車した時間がわかるようにして、見える位置に置きます。

Chapter 2.

私の北欧暮らしの
とっておき

My Favorites

日本にいた頃から大好きだった
お気に入りの北欧のものたち。
スウェーデンでの暮らしを通して、
さらに大好きなものが増えました。
人、もの、空間、季節、時間など、
私のとっておきをご紹介します。

憧れのリサ・ラーソン作品が生まれる場所へ

　十数年前、ふらりと入ったお店で目が合った陶器のライオン。それがリサ・ラーソン作品との出会いです。優しいまなざしと、愛嬌のある表情に、私の心はすっかりとりこに。一度冷静になろうと家に帰ったものの、忘れられず、数日後には我が家にしっかりと鎮座しておりました。

　スウェーデンを代表する陶芸家、リサ・ラーソンの作品は、現在グスタフスベリにある工房で作られています。成形、絵付け、釉薬かけなど、その作業のほとんどは手作業です。職人たちが愛情と誇りをもって作品を仕上げています。表情が少しずつ違うのも手作業ならではのおもしろさ。自分好みの子に出会えると愛着もひとしおです。

　そして、ご縁があってリサさんのご自宅にお邪魔する機会に恵まれました。90歳を超えてもなお、作業に没頭する日々。窯の中をのぞくと数日前に焼かれた作品がありました。部屋に所狭しと置かれた作品の数々を見ていると、陶芸家として土に真摯に向き合ってきた、リサさんの人生がうかがえます。憧れていた作品が生まれる場所を訪れることができた感動は、今でも忘れられません。

a

b

a,b　グスタフスベリの工房。丁寧な仕事ぶりや、なにげなく置かれたペン立てから、陶器に対する愛情が伝わってきます。
c,d　リサさんのご自宅アトリエにて。窯の中には数日前に作られた貴重な作品が並んでいます。

c

d

e　ライオンの優しい表情は、いつ見てもほっこり温かな気持ちになります。
f　マルメのアンティークショップで出会ったアザラシ。お店を訪れるたびに目が合い、お迎えすることに。

e

f

スコーネ生まれのクリッパンでぬくぬく

　南スウェーデンの小さな町で創業し、その町の名前を冠したファブリックブランド、KLIPPAN（クリッパン）。直営ショップでは、質の高いブランケットや、エプロン、ミトンなどの生活雑貨を販売しています。ベングト＆ロッタさん（P.44）がデザインを手がけたかわいい柄のものから、色使いの素敵なシンプルなものまでデザインの種類も豊富です。

　少しずつ冬の気配を感じ始めると、暖かなブランケットを求める人で店内はより賑やかになります。中には、両手に抱えきれないくらいの毛糸を買っていく人も。日が短く、家で過ごす時間が増える冬に、暖かい部屋で編み物をして過ごされるのでしょう。

　私もブランケットを長年愛用しています。冬には暖かなウール、夏にはさらりとしたコットンのものを、家の中やベランダだけでなく、森で過ごすときにも持っていきます。ちょっと席を外した隙に、ウリとハナにブランケットを取られてしまうことも。ソファの上に置いておくと決まって気持ちよさそうに寝ているので、肌触りのよさ、心地よさは我が家の猫のお墨付きです。

a　クリッパンの本社兼直営ショップ。
Klippan FACTORY STORE
https://klippanyllefabrik.com

b　色や柄が豊富なブランケット
や小物は、冬の室内を明るくして
くれます。
c　多くはニュージーランドの羊
毛を使っていますが、地産地消の
観点から、スウェーデンの国産ウ
ールを使った商品にも力を入れて
います。

伝統楽器ニッケルハルパがつないでくれた友情

　スウェーデンの民族楽器、ニッケルハルパ。4本のメロディ弦と12本の共鳴弦、そして鍵盤をもつ弦楽器で、共鳴の響きによる豊かな音色が特徴です。日本にいた頃からグループに所属し、公園で練習したり演奏会に参加していました。友人たちとスウェーデンやニッケルハルパのことを語らいながら、日本で一緒に過ごした時間は、今でも大切な思い出です。

　スウェーデンに来てからは、夫とともに二つのグループに所属しており、練習を重ねて夏至祭や教会のミサなどで演奏をしています。どちらのグループでも年上の友人が多く、演奏活動を通して多くのスウェーデンの文化を学びました。スウェーデンに親族のいない私たち夫婦にとって、いつも温かく迎えてくれる彼らは、スウェーデンの父、母のような存在でもあります。

　練習の途中には必ずフィーカがあり、お菓子は持ち回りで準備をします。メンバーの手作りのパンや、季節のフルーツを使ったケーキが並ぶことも。ニッケルハルパの活動は、音楽とフィーカを通した豊かなコミュニケーションの時間となっています。

a　演奏仲間からたくさんの伝統音楽を教えてもらいました。

b　スウェーデンの知人から譲っていただいたニッケルハルパは私の宝物。大切にメンテナンスしながら音色を楽しんでいます。

c　民族衣装を着て演奏仲間とともに地域のイベントに参加。

IKEAの家具は自分好みにアレンジ

　北欧のヴィンテージ家具にはとても憧れますが、なかなか手が出せないのが現実です。我が家の家具はIKEAで買ったものがほとんど。今のアパートに引っ越したときに買ったサイドテーブルは、金属製の天板に物を置くときの"カン"という音が少々気になっていました。ふと家にあるトレイを置いてみたら、なんとぴったり！　このことを発見して以来、少しのアレンジで自分好みの家具に変わる楽しみを覚え、どこかアレンジができるところはないかと日々探しています。

　リビングのくつろぎスペースであるソファベッドもIKEAのもの。カバーが外せないソファを使っていたときは、汚れたときの掃除が大変でした。このソファベッドにしてからはシングルベッド用のカバーが使えるので、簡単に洗濯ができ、いつも清潔な状態に保っていられます。カバーは季節や気分によって替えたり、クッションとの組み合わせをあれこれ考えたりして楽しんでいます。

　また、長年使っているIKEAのシューズラックには、テーブルクロスとして使っていたマリメッコのアクリルコーティングの布を板に貼って再利用。暗くなりがちな玄関に花が咲いたような明るい空間になりました。

a　トレイを替えるだけで、部屋の雰囲気が違って見え、新鮮な気持ちに。

b　ソファのカバーと一緒に、クッションカバーも季節によって替えます。

c　シューズラックは、帰ってきたときのウリとハナのお出迎えの場所にもなっています。

a

b

c

アクセサリーで楽しむ北欧デザインのかけら

北欧デザインの巨匠、スティグ・リンドベリ。彼が陶器メーカー、グスタフスベリで手がけた名作デザイン"ベルサ"は、今でも人々の心をつかんで離しません。私もこのデザインに魅了された者のひとりです。以来、カップやお皿、トレイなどを集めて大切にしています。中でも思い入れがあるのが、マルメにアトリエを構えるジュエリーブランド、SÄGEN（セーゲン）のピアス。ベルサの陶器をリメイクした、ひと目で北欧を感じられるジュエリーです。

セーゲンの創業者であるエリンさんは、子どもの頃からヴィンテージ食器に興味をもち、週末になるとセカンドハンドショップで素敵な食器を探す日々を送っていたそう。自分で食器をカットし、工夫を重ねるうちに、ジュエリーを作ることができると思い至り、ブランドを立ち上げました。創業当初は自ら食器を探していましたが、現在はグスタフスベリから小さな欠けやプリントミスなどがある陶器を仕入れてジュエリーにリメイクしています。

眺めているだけでも幸せを感じ、気分を高めてくれるセーゲンのジュエリーは私にとって特別な存在です。

a

b

c

a　名作のデザインは、どんな形
になっても素敵に輝き続けます。
b　笑顔が素敵なセーゲン創業者
のエリンさん。
c　小さな欠けやプリントミスの
ある食器。ここから新しくセーゲ
ンのジュエリーに生まれ変わりま
す。

https://www.sagensweden.com

北欧発のナチュラルブランドで優しくケアを

　日本から持ってきたスキンケア用品のストックが底をつき、「さてどうしよう」と思ったときに出会ったのが、フィンランド生まれのコスメブランド Lumene（ルメネ）。成分の多くが北欧の自然に由来し、ワイルドベリーやビルベリー、白樺などが原料として使用されています。

　キッチンで愛用しているのは、寒い地域に自生するクロウベリーとオートオイルが配合されたハンドクリーム。食器を洗った後にさっと塗り、手荒れをケアしています。ベタつかないさらっとした使い心地と、無香料で猫たちにも優しそうなところがお気に入り。クリスマス時季に発売されるアドベントカレンダーは、ミニサイズのスキンケアを試すことができる人気の商品です。旅行に持って行ったり、気に入ったものはリピートをして楽しんでいます。

　それまで海外で購入したスキンケアは、刺激と香りが強いものが多く、肌がピリピリとしてしまうこともありました。優しい使い心地と癒やしの香り、ふと目に入ったときにもストレスを感じないシンプルなパッケージ。出会えてよかったと思えるナチュラルブランドです。

a　毎年人気のアドベントカレンダー。24個のアイテムでクリスマスまでのカウントダウンを楽しみます。

b　普段のメイク用品の一部。ナチュラルな仕上がりが気に入っています。

c　右からボディクリーム、クレンジングウォーター、美容液。洗面スペースの常備品。

a

b

c

お気に入りの食器を少しずつ買い足す楽しみ

　スウェーデンに引っ越し、夫が住んでいたアパートで暮らし始めた当初、自分の荷物もまだなく、どこか落ち着かない日々を過ごしていました。そんなとき、初めてスウェーデンで買ったマグカップを部屋に置いてみたら、やっと"自分の場所"ができたように思え、心がぱっと明るくなった記憶があります。毎日の暮らしの中で必ず使う食器は、私にとって大切な存在です。お気に入りの食器を使うと、食卓が彩られ、料理がより美味しく感じられます。

　北欧に惹かれるきっかけとなったのは、グスタフスベリの"ベルサ"。レトロな雰囲気の中にも新しさを感じるデザインに、一瞬で恋に落ちました。ヴィンテージのスープボウルを買って以来、気に入ったものを少しずつ買い足しています。

　旅行へ行くときに、陶器の食器を持って行くことは難しいけれど、割れる心配のないほうろう製のマグカップを持って行き、ホテルの部屋でお茶を飲みます。お気に入りの食器があるだけで、その場所に自分の"色"が加わったような気がして、まるで自宅にいるような安心感に包まれるのです。

a　少しずつ買い集めているマグカップ。その日の気分によって選びます。

b　スウェーデンに来て初めて手に入れたロールストランドのピンクのマグカップ。当時の気持ちを思い起こさせてくれます。

c　初めて買った北欧のヴィンテージ食器。ベルサのスープボウルは宝物です。

d　訪れるたびに新しい出会いがある、イッタラのアウトレットショップ。

a

b

c

d

My Favorites

ヴィンテージ食器も惜しまず日常使いする

　ヴィンテージ食器の魅力は歴史を感じられるところ。小さな傷やプリントのかすれ、蓋がないなど、それらは何十年もの間、さまざまな家庭で愛されてきた証です。我が家のアラビアのジャムポットも、蓋がない状態でした。かわいらしさに惹かれて買ったものの、何に使えばいいのか悩み、しばらく飾っていました。紅茶のティーバッグやクリップ入れの任務を経て現在はスポンジ入れとしてキッチンで活躍しています。「割ってしまうのではないか」という心配やストレスも、動かす頻度が低いので軽減されました。

　上の写真はキッチンの一角。アンティークショップで見かけるたびに気になっていたイッタラのガラス製のボウルには、じゃがいもやたまねぎなど、いつも使う野菜を入れています。ビヨン・ヴィンブラッドの現行品の、ちょっぴり個性的な女の子のボウルの隣に置くと彼女の個性を引き立ててくれ、並んだ二つを見ては「うん、よい組み合わせ！」と、自己満足に浸っています。

　エッグスタンドやシュガーポットなど、出番が少ないアイテムも、別の用途に使えないかと工夫すると、案外ぴったりの使い道が見つかるかもしれません。

a　グスタフスベリのシュガーポットは、にんにくを入れる容器として活用。
b　アラビアのジャムポットには、カットしたスポンジを収納しています。
c　つまようじ立てとして使っているのは、クロニーデンのエッグカップ。

My Favorites

お守り代わりのサーミブレスレット

　スカンジナビア半島の北部、ラップランド地方に暮らすサーミ。彼らはトナカイを飼い、遊牧生活を送っていた中でトナカイの角や革を使った工芸品を生みだしました。サーミブレスレットもそのひとつ。

　柔らかく馴染みやすいトナカイの革に、ピューターと呼ばれる糸状のワイヤーを編み込む伝統的な手法で、丁寧に手作業で作られています。革の色や編み方の種類もさまざま。身に着けていると幸せを呼び込むといわれています。

　私が持っているブレスレットは、マルメフェスティバーレン（P.104）に出店していたお店で夫が購入してプレゼントしてくれたもの。当時日本で暮らしていた私にとって、北欧を感じられるブレスレットが嬉しくて、お守り代わりにずっと身に着けていました。シンプルだけど存在感があり、ずっと着けていても飽きません。

　経年変化によって柔らかくなっていく革を見ていると、自分だけのブレスレットを育てているようで愛着もひとしお。ファッションや季節も選ばないので、今でも大切にしています。

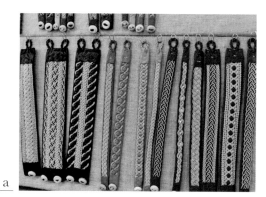

a　ピューターと呼ばれる錫と銀の合金で
作られた、糸状のワイヤーは革とともに経
年変化も楽しめます。
b　毎年マルメフェスティバーレンに出店
している、サーミブレスレットのお店。
Cozy Leather
https://www.cozyleather.se

夏はドライブしてガーデンカフェへ

　青空が気持ちいい夏の日のドライブ。一面に広がる麦畑にときどき目をやりながら、爽快に田舎道を走り抜けていると、道路脇に突然「Café（カフェ）」と書かれた看板が目に飛び込んでくることがあります。板に手書きされた素朴な雰囲気にビビッときて、思わず立ち寄ってしまいます。

　花や植物に囲まれてフィーカを楽しめるガーデンカフェは、夏の間しかオープンしていないこともしばしば。お気に入りのお店の情報をチェックしては、どこにいつ行こうかと思い巡らせて、訪れる日を心待ちにしています。

　中でも大好きなカフェは、スコーネ地方のビリンゲという小さな町にあるガーデンカフェ。現オーナーのおばあ様の代から受け継がれている歴史あるお店です。春夏は庭に咲き誇る花々が美しく、その空間はまるでおとぎ話の世界に入り込んだかのよう。このカフェの名物は、スコーネ地方の伝統菓子であるスペッテカーカ。卵と砂糖、片栗粉だけで作られており、サクッとした軽い食感で、たまごボーロにも似たどこか懐かしい味わいです。日々の疲れや悩み事から解放される空間は、私にとって心のオアシスです。

a

b

a　着心地のよいリネンや
コットンの洋服を見るのも、
このカフェの楽しみです。
b　素敵な庭園の中でいた
だく食事には、自然の恵み
がいっぱい。
Fricks Spettkaksbageri &
Trädgårdscafé
https://spettkaksbageriet.se

c

d

c　スコーネ地方で作られたもの
だけがスペッテカーカと名乗るこ
とを許されます。大きなものは結
婚式などお祝いの席でみんなで
いただきます。
d　アンティークのお皿にのせて
食べるとちょっとエレガントな気
分。

ロッピスで宝探し

　Loppis（ロッピス）は、スウェーデン語で「蚤の市」の意味。一見ガラクタにも思える雑多な商品の中から、宝物を探し当てたときの喜びは大きいもの。すでに生産中止になっている有名メーカーの食器や、ほかではどこを探しても見つけられないような一点ものの商品と出会えるのが、蚤の市やセカンドハンドショップの魅力です。しかも目を疑うような安さで、まさに一期一会。

　古いものを再利用する文化が根付いているスウェーデンでは、全国各地にあるセカンドハンドショップが人気です。働いているスタッフはボランティアで、売上の一部を世界の貧困地域へ寄付している団体もあり、社会とのつながりをもつ場としても一役買っています。

　私はお店で買うだけでなく、何年も使っていないものがあればお店に寄付をしています。気に入って手に入れたアイテムはどれも愛着があるので、処分するには決心がつかないことも多々ありますが、寄付や中古売買であれば心のハードルも下がる気が。別の誰かがまた大切に使ってくれるといいなと期待を込めて手放した後は、家も整理されて、すっきりと晴れ晴れしい気分になります。

a

b

a　家から車で30分ほどの田舎町にあるロッピスで、ゲフレのプレートを発見。

b,c　ロッピスなら、アンティークショップより安く北欧ブランドの食器に出会えることもあるので、宝探しのようでとても楽しいです。

c

森に季節のものを摘みに行く

　スコーネのいたるところで菜の花が咲き始めると、そろそろ"ニラの森"へ行く合図です。友人が教えてくれた森に自生するラムスローク（クマニラ）を摘みに、サンドイッチを持って出かけます。

　一般的なニラに比べて香りは控えめですが、餃子やニラ玉、レバニラなどが恋しくなる私にとっての貴重な食材。ラムスロークは広い森の中でも、水辺が近くにある限られた場所にしか自生しません。記憶を頼りに探し、1時間以上も迷子になり、諦めそうになることも。辺り一面に青々と茂るラムスロークに出会えたときの感動はひとしおです。

　食べきれる分だけいただいたら、餃子やニラ玉などの料理に使うほか、オリーブオイルと松の実、パルメザンチーズと合わせてペーストにして保存。パンやクネッケ(P.40)によく合い、肉や魚料理の付け合わせにも使えます。

　森にはほかにも季節ごとの恵みがたくさん。植物に詳しい友人に教わりながら、花やハーブ、果物などを摘み、スウェーデンの四季を存分に味わっています。

a　クマニラは毒性のあるスズランの葉によく似ているので、摘むときは必ずニラの香りがすることを確認しています。

b　グースベリー(西洋スグリ)の実はジャムにしたり、これでケーキを焼くことも。

c　古くから薬用ハーブとして使われてきた西洋ナツユキソウ。シロップにして、大切にいただきます。

スウェーデン人が秘密にする
森の中のとっておきの場所

スウェーデン人にとって森はごく身近な存在。秋が深まる頃、ブーツを履いて森に入り、たくさんのキノコが顔を出しているのを見つけたらとてもラッキーです。

　四季折々のたくさんの恵みを与えてくれる森。でも、食用の美味しいキノコはそう簡単に見つけることはできません。そしてスウェーデン人は、キノコの自生場所を発見しても自分たちだけの秘密にしていて、家族やごく親しい友達にしかそのありかを教えないそうです。

　中でも、カンタレル（アンズダケ）という黄色いキノコは高級品。以前、友人と一緒に森を散策していたときに見つけて、バターで炒めたものを朝食に出してくれました。本当に美味しかった！

　友人のレーナも、「確かにキノコの場所は簡単には教えないわ」と笑っていました。でも、今度教えてあげる、と言ってくれて大喜び。秋の大きな楽しみが増えました。

Chapter 3

スウェーデンらしさを
とり入れる
Swedish Things

スウェーデンに移住してからできた、多くの友人たち。
彼らから学ぶこの国の文化や暮らしのヒントは本当に豊かで、
新鮮な魅力に満ちています。
多くの刺激を受けて、スウェーデンの伝統や行事を
積極的にとり入れるようになりました。

新年のお祝いは花火とシャンパンがお決まり

　日本ではクリスマスが終わると、すぐにお正月を迎える準備をしますが、スウェーデンは1月13日にクリスマスの飾りをしまうため、年末年始はクリスマスの気分を残しながら過ごします。大晦日は夕方から、どこからともなく花火が打ち上がる音が聞こえ始め、私は「あと少しで年越しの時間かな」と、いそいそと年越しそばの準備を始めます。

　新しい年を迎える瞬間、「Gott nytt år（ゴット・ニット・オール）」と言いながらシャンパンやスパークリングワインを傾けるのが、スウェーデンの年越しです。盛大に花火が打ち上がり、家族や友人たちと華やかな雰囲気でお祝いし、年越しパーティーは遅くまで続きます。元旦は飲み過ぎて疲れている人が多く、ピザやタコスなど簡単に食べられる料理が人気です。

　私にとっては、一年で最も日本が恋しくなるのがお正月。そこで、おせち料理を作ることにも挑戦しています。いつもはスウェーデンの人々にならって季節の行事を楽しみますが、年末年始は日本の文化を大切にして、心新たに新年を迎えています。

a,b　手に入るもので手作りした
おせち料理。"おとぎの森"をテー
マにしたイッタラのサツメッサの
プレートに盛り付けたら、どこかお
めでたい雰囲気になりました。

c　元日はピザを食べるのがスウ
ェーデンの定番。ピザ屋さんは大
忙しです。

Swedish Things

大人も子どもも夢中になるお菓子

　金曜日と土曜日に特に混み合う場所、それがスーパーマーケットのお菓子売り場です。なぜなら、スウェーデンにはLördagsgodis（ローダグスグーディス：土曜日のキャンディ）という習慣があるから。キシリトールで有名になったフィンランドと同様に、スウェーデンも歯科衛生の先進国。お菓子、特にチョコやグミは土曜日にだけ食べるものという意識が子どもの頃から根付いています。もし、ほかの曜日に子どもが「このお菓子買って！」とおねだりしても、「今日はまだだよ。土曜日にね」と言って、なだめるのだと友人に聞きました。大人も子どもも夢中になってお菓子を選んでいる様子を見ると、多くの人が「土曜日はお菓子の日」だと楽しみにしているのでしょう。街には、量り売りお菓子の専門店もあります。私も初めて立ち寄ったときは、カラフルでユニークな形のグミがずらっと並ぶ様子に圧倒されました。選ぶのが楽しくて、いつの間にか袋が満杯なんてことも。

　同じお菓子が袋入りで売られていることもありますが、量り売りなら「少しだけ試してみたい」というときにも便利。ハロウィンやクリスマスなどの前には、そのときだけの特別なお菓子が並び、季節を感じることができます。

<u>a</u>

a　いろいろな種類のお菓子を少しずつお試しできるのがいいところ。備え付けのスコップで紙袋に入れていきます。
b　色、形がおもしろいグミやキャンディがたくさん。こちらは目玉焼きの形のグミ。

<u>b</u>

2月14日は日頃の感謝を伝える日

　2月14日は「みんなのハートの日」。恋人同士に限らず、家族や友人たちに感謝を伝える日です。日本のバレンタインデーのような派手な盛り上がりはありませんが、大切な人に花を贈るのが定番で、この日の花屋さんはいつもより賑わっています。この日はなんと国内で400万本以上のバラが販売されるそうで、バラの花を片手に颯爽と街を歩く人々を見かけます。花のほかには、ハート形のグミやチョコレートを贈ったり、素敵なレストランで食事を楽しむのも人気の過ごし方です。

　私から夫へは、チョコレートを贈るのが毎年のお決まり。ルンドのチョコレート専門店、「Chocolaterie Hovby no 9」のチョコレートが好きで、贈り物として選ぶようになりました。どれを選んでも美味しいので、ご褒美として自分用のチョコレートもつい一緒に買ってしまいます。

　愛や感謝の言葉は照れてなかなか口にできないけれど、素敵なチョコレートの力を借りて、みんなのハートの日には「いつもありがとう」と伝えています。

a

b

a　夫からはスウェーデン流にバラの花をもらいました。

b　花屋さんの店先は立派なバラの花でいっぱいになります。ほかにチューリップやカーネーションも人気。

c　「Chocolaterie Hovby no 9」の店内。イートインスペースもあり、自家製ケーキやチョコレートをいただけます。

c

家庭で受け継がれるロールクッキー

　日本の洋菓子ブランド「YOKU MOKU（ヨックモック）」の社名の由来はスウェーデン北部の小さな町、Jokkmokk（ヨックモック）にあり、そこで出会った家庭的で温かみのあるお菓子に感銘を受けて社名にしたといわれています。薄焼きのクッキーをくるりと巻いたシガールが有名ですが、スウェーデンの伝統菓子に、形がよく似たRullrån（ルールローン）というロールクッキーがあるのです。

　私のお菓子作りの先生であり、演奏仲間でもあるレーナ。私がスウェーデンに移住して間もない頃、スウェーデン語を話す機会がないことを心配して、「お菓子を作りながらスウェーデン語の勉強をしましょう！」と提案してくれました。それから何度もレーナの家を訪れて、一緒にスウェーデンのお菓子を作っています。レーナが作るロールクッキーはお母さんから受け継いだレシピ。卵と砂糖、中力粉、片栗粉、水で作る素朴な甘さのクッキーは、彼女のお孫さんたちも大好物なのだそう。模様が入った型の上に生地を広げて薄焼きにし、熱いうちにくるり。部屋の中に甘くていい香りが広がり、フィーカの時間を豊かなものにしてくれます。

a

b

a　手作りの作品がたくさん飾られています。「その作品を見るたびに作った人のことを思い出せるのよ」と笑顔で話してくれました。

b　個性豊かな木製のシャンデリアはレーナのお気に入りのひとつ。

c

d

c　昔ながらの鉄製のアイロンRånjärn（ローンヤーン）。

d　レーナが見せてくれた、お母様から受け継いできたレシピ。

Swedish Things

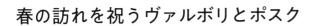

春の訪れを祝うヴァルボリとポスク

　毎年4月30日に行われるValborg（ヴァルボリ）は、春の到来を告げるお祭り。冬の間に集めた枯れ木や枯れ葉をひとまとめにし、野外で焚き火にします。

　ストックホルムやマルメなどの大都市から小さな町まで、多くの市町村で開催されます。ヴァルボリは農家の家庭で行うこともあります。ここ数年は農家を営んでいる友人を訪ねヴァルボリに参加しています。パチパチと枝が燃える音をBGMに、ソーセージを焼いたり、日が暮れるまで火にあたりおしゃべりをして、ゆったりと時間を過ごします。

　もうひとつの春のお祭りといえば、イースター。スウェーデン語でPåsk（ポスク）といい、クリスマスや夏至祭と並ぶ重要な行事のひとつです。木の枝には色とりどりの羽が飾られ、その時季は街を歩くだけで心も軽やか。

　ポスクが近づくと、スーパーマーケットにはポスクムストと呼ばれる麦芽飲料や、イースターを感じられるウサギやヒヨコの形をしたお菓子が並びます。たくさんの卵をゆで、ニシンの酢漬け、スモークサーモンなどを食べながら、自宅でささやかに春の到来をお祝いします。

a

a　網にソーセージを挟みヴァルボリの焚き火であぶっていただきます。
b　ポスクのお祝いに欠かせないのが卵料理。彩りも豊かに、かわいらしく盛り付けます。

b

c　卵形のケースにお菓子を詰めてプレゼントを贈ります。
d　子どもたちは魔女に扮して、近所を回りお菓子をもらいます。

c

d

お祝いの日のサンドイッチケーキ

　スーパーマーケットで大きなサンドイッチケーキを両手で抱えている人を見かけると、「誕生日なのかな？」と思うようになりました。スウェーデンの人々は、10歳刻みなど、節目となる年齢で自ら主催して誕生日パーティーを開きます。家族や親戚、友人を招いたお祝いの席でよく食べるのが、サンドイッチケーキ。また、大勢の人が集まるパーティーや、イベントでも登場し、華やかさを演出してくれます。

　小エビ、スモークサーモン、ハム、チーズなど種類も多く、ベジタリアン向けのサンドイッチケーキもあり、スーパーマーケットで注文することが多いです。

　自分で作ることもそんなに難しくはありません。固ゆでした卵、小エビ、スモークサーモン、ディルなど、お好みの具を刻んでサワークリームと和えて具材に。サンドイッチ用の薄い食パンに2〜3段になるように具材を挟みます。サワークリームと無糖ホイップクリーム、マヨネーズを和えたクリームを塗り、華やかにデコレーションをしたらできあがり！　サンドイッチケーキを食べて、北欧のパーティー気分を味わってみてはいかがでしょうか。

a

a　イベントの後のランチタイムでいただくサンドイッチケーキ。小エビがたっぷりで美味しい！
b　ハムのサンドイッチケーキにはオレンジやパッションフルーツがのって鮮やかに。
c　スーパーマーケットでは1人前から買えるので、ランチにいただくこともあります。

b

c

"Ingen ko på isen" 「ゆっくりでいいよ」

　スウェーデンのことわざ、「インゲン・コー・ポ・イーセン」。スウェーデン語の勉強中に出会った言葉なのですが、直訳すると「氷の上に牛はいない」という意味になります。どういうことなのだろう？と疑問に思って先生に質問してみたところ、古くからある慣用表現で、「ゆっくりでいいよ」「焦らなくても大丈夫」という意味で使われるということがわかりました。

　実はこの表現は元はもっと長い文章で、「牛のお尻が陸地にあるうちは、氷に牛が落ちることはないから大丈夫」というのが全文らしいのです。昔、水道設備が整っていなかった頃は飼い牛に水を飲ませるために湖に連れて行く必要がありました。湖が凍っていると、牛が脚を滑らせて転んだり、氷が割れて湖に落ちてしまう可能性もあって危険です。そんなときでも、牛のお尻が陸地にあれば、牛が湖に落ちてしまうことはないから安心してよい、そんな情景から生まれた言葉です。

　私もついつい焦ってしまいがちなときには、「ゆっくりでいいよ」と自分に言い聞かせたいものです。

a

a 牛の後ろ脚が氷にのっていないので、焦らなくても大丈夫。

b 語学学校を卒業しても、まだまだ続くスウェーデン語の勉強。おもしろい表現に出会うと嬉しくなります。

b

道を歩けば出会える動物たち

　8月の夕暮れどき、買い物の帰りに自転車を走らせていたら、道端の草むらに何やらモゾモゾ動いているものが。よく見たらそれはまだ子どもであろう野生のハリネズミ！　体じゅうにトゲをまとっているのに、そのつぶらな瞳とゆっくりとした動作とのギャップが、なんとも愛おしいのです。

　国土面積の約70％を森林が占める、緑豊かなスウェーデン。街と自然は絶妙なバランスで調和しています。都市部であっても街には公園や水辺があり、そこにはたくさんの野生動物が生息しています。野鳥をはじめ、ウサギ、ハリネズミ、リスを見かけることもしばしば。また郊外にはシカやイノシシのような大きな動物も住んでいます。

　3月頃には近所の池に白鳥のカップルが訪れます。毎年同じ場所で巣を作り、卵を温めて、生まれたヒナたちが成長する様子を見るのが私の楽しみ。8月頃に無事に巣立っていくと、嬉しさと同時に寂しくもなり、近くを通りかかるときはつい白鳥たちを探してしまいます。自然や野生動物を身近に感じられる暮らしは、毎日に楽しみと癒やしを与えてくれます。

a　夏の夜に出会えることが多い
ハリネズミ。つぶらな瞳が愛らし
い。
b　天気のいい日は、鳥たちも羽
を休めて気持ちよさそうに日光
浴しています。

89

毎週木曜は豆スープとパンケーキの日

　黄色豆のスープÄrtsoppa（アートソッパ）とパンケーキを毎週木曜日に食べるのが伝統的な習慣です。レストランに入りメニューに豆のスープがあるのを目にすると、「そうだ！　今日は木曜日だった」と気がつくことがあります。

　その起源はキリスト教にあり、イエス・キリストが十字架にかけられたのが金曜日だったため、金曜日は断食をしたり粗食にする習慣がありました。だからその前日である木曜日には栄養のあるものを食べて、断食に備えよう、ということで始まったものなのだそう。たっぷりの豆と塩漬けにした豚肉が入っているスープは食べ応え満点。スーパーマーケットには何種類ものレトルトの豆のスープと、隣には必ずパンケーキが売っています。家庭で毎週食べる頻度は少なくなりましたが、きっと今でも習慣は根強く残っているのでしょう。

　ちなみに金曜日はタコスの日。なぜスウェーデンでメキシコ料理？と思うのですが、週末に家族団らんの時間を多くもつために、調理の手間がかからないタコスが選ばれるようになったそうです。家族の時間を何より大切にするスウェーデンらしい習慣です。

 a

a　スーパーマーケットに並ぶレ
トルトの豆スープ。両端を結んだ
パッケージで売られています。
b　IKEA発祥の地、エルムフルト
にあるIKEAミュージアムのレス
トランにて。ボリューム満点の豆
のスープ。

 b

夏至祭が告げる、一年で最も豊かな季節

　一年で最も日が長くなる6月下旬の夏至。人々はまるで眠りから目覚めた草木や花のように、生き生きとしたエネルギーに溢れています。

　夏至祭はスウェーデンの各地で盛大に行われます。白樺の葉や野花で飾りを付けた柱、メイポールを広場の中央に立てたらお祭りの始まり。子どもからお年寄りまでメイポールを囲んで輪になり、音楽に合わせて踊ったり歌を歌って楽しみます。明るい色や花柄の服を着たり、手作りの花の冠をかぶっている人もいて、服装からも喜びが伝わってきます。夏至祭の夜に、7種類の花を摘み枕元に置いて寝ると、夢の中で将来結婚する相手に会えるという、ロマンチックな言い伝えもあります。

　私は毎年、民族衣装を身にまとい、演奏仲間とともに複数の高齢者施設を訪れ、出張夏至祭を行っています。施設の庭にメイポールを立て、ダンスグループの人たちが伝統のダンスを踊ります。入居者の方が音楽に合わせて体を揺らし、笑顔で楽しんでくれる姿を見るのは何よりの喜びです。さぁ、夏至祭の後は、みんなで夏至の伝統料理とイチゴのケーキを食べてお祝いしましょう！

a

a　豊穣のシンボルであるメイ
ポールが夏至祭の目印。
b　メイポールの周りを囲んで
踊り、みんなで喜びを分かち合
います。

b

Swedish Things

no.35

c

c　スウェーデンの伝統料理でお祝
い。ゆでた新じゃが、スモークサーモ
ン、ニシンの酢漬けなど。
d　民族衣装に身を包んで、ニッケル
ハルパの演奏を。

太陽の恵みと
生命の息吹に感謝する

d

e

g

e　みんなで協力して、白樺の葉や野花をメイポールに飾ります。

f　夏至祭の前日に季節の花を摘んで作った冠。

g　ダンスグループのリーダー、アニカさん。1980年代に作られたハンドメイドのカゴを大切に使っています。

イチゴ狩りの季節がやってきた

「え！ イチゴってこんなに甘かった!?」初めてスウェーデンのイチゴを食べたときの感動は、今でも忘れられません。日本では冬から春にかけて出荷されるイチゴですが、スウェーデンではイチゴの旬といえば夏。スーパーマーケットの入り口には販売所が建ち、新鮮なイチゴがたくさん並びます。イチゴの売り子さんは、学生に人気の高いアルバイトです。

この時季は郊外にあるベリー農園まで車を走らせ、イチゴ摘みに出かけます。農園に到着したら、箱を手に取っていざイチゴの元へ。真っ赤に輝くイチゴを探しながら、これは大きいな、甘くて美味しそうだなと吟味して摘んでいきます。持ち帰った新鮮なイチゴを無糖のホイップクリームにディップしてほおばる時間の幸せなこと！

みんなが集まる夏至祭でもイチゴをたっぷり食べます。このときに食べるイチゴはスウェーデン産であることが大切だと考えられています。そのまま食べたり、ケーキにしたり。演奏仲間から作り方を教えてもらったメレンゲケーキ（P.98）は、シンプルな味わいが美味しくて、私のお気に入りレシピになりました。

a

b

a　夏になると目にする無人のイチゴ販売スタンド。無人でも便利なスウィッシュ決済(P.46)に対応しているのがスウェーデンらしい。
b　シーズンを見極めれば、ブルーベリーやラズベリーなどもたくさん摘むことができます。

スウェーデンの夏をいただきます！
夏至のメレンゲケーキレシピ

材料を混ぜ合わせて焼き、イチゴとクリームをサンドしたメレンゲ
ケーキ。簡単なレシピでとっても美味しいので、イチゴが旬の時季に
ぜひ作ってみてください。

● 材料［約6人分］

卵…2個（卵黄と卵白に分けて使う）

砂糖…200㎖（スポンジ生地用：100㎖
＋メレンゲ生地用：100㎖）

中力粉…150㎖

ベーキングパウダー…小さじ1

牛乳…50㎖

バター…50g

アーモンドスライス…適量

生クリーム…200㎖

イチゴ…適量（ブルーベリーや
ラズベリーを一緒にのせても美味しい）
※生地の食感は変わるが、中力粉を薄力
粉に代えても美味しく作れます。

● 準備

・オーブンの天板にオーブンシート
を敷き、四隅の角に切り込みを入
れて端を立ち上げ、2㎝ほどの高さ
のある箱状にする。

・オーブンを170度に温めておく。

・バターを鍋、または電子レンジで
溶かしておく。

・イチゴは食べやすい大きさに切る。

★

スウェーデンでは計量をす
るのに、1㎗（100㎖）カップを
よく使います。

● 作り方

1. 卵を卵黄と卵白に分けてボウルに入れ
る。卵白は冷蔵庫で冷やしておく。卵黄
に砂糖100㎖を加え、白くもったりとす
るまで混ぜる。砂糖が混ざったら、中力
粉、ベーキングパウダー、牛乳、溶かし
たバターを加えて混ぜる。

2. 冷やしておいた卵白をハンドミキサーで
大きな泡が立つまで泡立てたら、砂糖
100㎖を2回に分けて加える。角がしっか
りと立つまで泡立ててメレンゲを作る。

3. 1の卵黄生地を天板に広げ、平らにする
（20×24㎝くらいの大きさに）。その上に2の
メレンゲをのせて平らにする。お好みで
アーモンドスライスをのせる。予熱した
オーブンで約20〜25分焼く（焼き時間は
経過を見ながら調節を）。

4. 生地を焼いている間に生クリームを無
糖でホイップしておく。生地が焼き上が
ったらオーブンから取り出し、ケーキク
ーラーの上で冷ます。生地が冷めたら、
半分に切る（★）。片方の生地の上にホイ
ップクリームとイチゴをたっぷりのせ、
もう片方の生地でサンドする。上にクリ
ームとイチゴをトッピングしてもよい。

"思い立ったら"の気軽さでバーベキュー

　太陽が輝く夏。外で過ごす時間を大切にするスウェーデン人の大好きな、バーベキューのシーズンの到来です。公園や海岸、住宅街のあちこちで煙が上がり、美味しそうな匂いに思わず立ち止まってしまうことも。

　豪華に大きな肉を焼く日もあれば、手軽にソーセージだけを焼いてホットドッグをほおばる日もあり、メニューもさまざま。

　誰でも自由に使える共用のグリル台が公園やアパートの敷地内にあるので、自宅に庭がない人でも手軽にバーベキューを楽しむことができます。

　友人たちと「バーベキューをしよう！」となれば、自分の食べたいものを、自分の分だけ持っていきます。ソーセージ、ハンバーグのパテ、味付けされた豚肉など、食べたいものを思い思いに網にのせ、バーベキューのスタート。みんなで食材を持ち寄り、シェアをする日本のスタイルに慣れていた私は、最初はとても戸惑いました。しかし、人数や好き嫌いなどを悩む必要がない、"自分の分だけ"のスタイルはシンプルで合理的。余計な気は使わず、友人たちと過ごす時間に集中できるスウェーデン流のバーベキューを、今ではすっかり楽しんでいます。

a　お気に入りのカゴに材料を詰めて、近所の公園でバーベキューを楽しみます。

b　住んでいるアパートの共用グリル台。空いていればいつでも使ってOKです。

c,d　この日の夕飯は手軽にホットドッグ。夏の定番メニューです。

b

c

d

Swedish Things

8月は真っ赤なザリガニパーティー

　スウェーデンでは古くからザリガニがごちそうでした。昔は8月の第1水曜日にザリガニ漁が解禁されていたことから、今でも8月になるとザリガニを食べる風習があります。家族や友人を集めて開催するのがKräftskiva（クレフトフィーバ）と呼ばれるザリガニパーティーです。

　塩と花のついたディルでゆで上げた真っ赤なザリガニを、大皿に豪快に盛り付けて、みんなでいただきます。乾杯ソング「Helan Går（ヘーラン・ゴー）」を歌ったら蒸留酒アクアビットで乾杯！　日本でカニを食べるときと同様、ザリガニを食べるときのスウェーデン人もまた、殻をむくのに夢中で、つい無言になってしまいます。

　パーティーの飾り付けもザリガニ一色。"月の男"と呼ばれる、怪しげに微笑む顔のランタンを吊るし、ペーパーナプキン、テーブルクロス、紙皿などをザリガニ柄で揃えます。服が汚れないように紙エプロンを着けて、小さな三角帽子をかぶるのもお決まり。ユニークなザリガニグッズは、パーティーの気分を盛り上げてくれます。

b

a

a　スーパーで売られているもの
はトルコ産や中国産のものが多
く、スウェーデン産のザリガニは
高級品。

b　"月の男"のランタンをはじめ、
ザリガニグッズも豊富。

c　テーブルコーディネートもザ
リガニ尽くし。

c

夏の終わりに楽しむ、マルメのお祭り

　かつてデンマーク領だったスコーネ地方。スウェーデン第3の都市マルメの街を歩いていると、デンマークの名残を感じる建物を多く見ることができます。

　この街が一年で最も賑やかになるイベントが、Malmöfestivalen（マルメフェスティバーレン）。毎年8月中旬に、約1週間にわたって開催されるスカンジナビア最大のお祭りです。普段は穏やかな街に屋台が並び、たくさんの人で溢れかえります。世界各国のグルメが味わえるのも、このお祭りの大きな魅力です。美味しそうな香りに誘われて、屋台の前を行ったり来たり。広場には移動遊園地がやってきて、子どもたちも大喜びです。お祭りのスタートは夏の風物詩、ザリガニパーティー。ステージで演奏される音楽を聴きながら、各自持参したザリガニを食べて、日が暮れるまでお祭り気分を楽しみます。

　街中にはロック、ポップス、ジャズなどのジャンル別にステージが設けられ、毎日ライブが行われます。メインステージでは、国内外で活躍する豪華アーティストが演奏や歌を披露し、お祭りに華を添えてくれます。

　このお祭りが終わるとともに、夏も終わりを告げ、秋の足音が聞こえてきます。

a　マルメ中央駅前のメインストリートにもたくさんの屋台が。夏の夜風に吹かれながら、日が暮れるまでお祭りは続きます。

b　市庁舎前広場にはメインステージが設置され、ステージが始まると多くの人が詰めかけます。

c　屋台での食べ歩きも楽しみのひとつ。

スウェーデンの定番、お食事ケーキ

　パンケーキというと、薄焼きで、フルーツやクリームがのった甘いものを思い浮かべる方も多いのではないでしょうか。

　スウェーデンには「豚肉のパンケーキ」を意味する、Fläskpankaka（フレスクパンカーカ）というお食事パンケーキがあります。スウェーデンでは定番の食事メニューで、ランチとしてよくいただくほか、サラダを添えて軽めの夕食として食卓にのぼることも。

　スウェーデンらしさのポイントは、リンゴンベリー（コケモモ）のジャムを添えること。スウェーデンの伝統料理として知られるミートボールをいただくときにも、リンゴンベリーのジャムは欠かせません。「食事に甘いジャム？」と最初は思うのですが、ミートボールやフレスクパンカーカのしょっぱさとジャムの甘酸っぱさが混ざり合い、手が止まらない美味しさになるから不思議です。

　IKEAなどでも購入できるリンゴンベリーのジャム。手に入れることができたら、ぜひパンケーキを焼いて、スウェーデンの食卓を再現してみてください。

Fläskpankaka
（フレスクパンカーカ）

● 材料

［2〜3人分・直径23cmの耐熱皿］

ベーコン…150g

牛乳…400ml

中力粉（薄力粉でもよい）…200ml

塩…小さじ¼

卵…2個

★

◆

● 作り方

1. オーブンを200度に温める。

2. ベーコンを約2cm幅に切って、フライパンで焼き色がつくまで炒める（★）。

3. ボウルに牛乳の半量、中力粉（または薄力粉）、塩を入れて混ぜる。

4. なめらかになったら残りの牛乳と卵を入れて混ぜる。

5. ベーコンの余分な脂をキッチンペーパーなどで取り除く。

6. 耐熱皿に薄くバター（分量外）を塗って、ベーコンと生地を入れる。

7. 200度に予熱したオーブンで25〜30分焼く（◆）。

※牛乳が多めなので焼き上がりはしっとり。リンゴンベリーのジャムを添えていただくのがスウェーデンの定番です。

スウェーデンの伝統に触れる

　スウェーデンで暮らす以上、土地の文化や、昔から受け継がれてきたものを大切にしたい。移住したときから抱いている思いです。民族衣装や伝統工芸品などは、所有している方や作り手に話を伺い、手に入れたものは大切にしています。

　上の写真はイベントで出会った、民族衣装を身にまとった女性。昔は、未婚女性がこの髪型をしており、既婚女性は頭に布をかぶっていたそう。今では民族衣装を持っている方は少なくなり、所有しているのは伝統楽器の演奏者やダンサーなど限られた人たちのみ。お店で民族衣装を見つけるのは難しく、ほとんどの方が代々受け継がれたものを大事に着ています。私も、ニッケルハルパの演奏仲間から譲ってもらいました。ブラウスも帽子も全て手縫いで、二つと同じものがない貴重なもの。大切に繕いながら、夏至祭など特別なときに着ています。

　北欧らしい工芸品も愛用しています。マツの木を薄く裂いて編んだカゴ"スポーンコリ"は、ダーラナ地方へ旅行したときに職人さんの工房で購入しました。暮らしの中でスウェーデンの伝統を感じると、この土地へのリスペクトが生まれ、一日一日を大切に過ごせるような気がします。

a

b

c

a　左はスコーネ南部、右はスコーネ
中部の民族衣装。二人はダンスグル
ープに所属していて、夏至祭のとき、
彼らのグループの演奏をしています。
b　　ダーラナ地方のスポーンコリ職
人、ビョルンさんの工房にて。
c　　幸運を呼ぶといわれる民芸品ダ
ーラヘストも、家に飾っています。

スコーネ伝統のガチョウ料理を味わう

　私が住むスコーネ地方では、11月11日の「聖マルティヌスの日」の前日に、ガチョウを食べる風習があります。この時季になると、スーパーマーケットにはガチョウ肉が並び、レストランではコース料理の予約が始まります。一般家庭ではガチョウの代わりにチキンを食べることもあるそうです。

　ガチョウ料理の基本メニューは3つ。ガチョウ肉のローストと、血のスープ、そしてリンゴのケーキです。

　ガチョウ肉は鴨肉のように味が濃く、弾力がありとても美味しいお肉。ソースをかけて芽キャベツ、プルーン、リンゴのコンポート、紫キャベツのサラダと一緒にいただきます。恐る恐る血のスープをいただくと、想像よりも美味しいことに驚きました。シナモンやクローブなどのスパイスとリンゴ、ブイヨンが入り食べやすいように工夫されています。スウェーデン人の中でも好き嫌いが分かれるようで、苦手な人のために、別のスープも用意されていました。

　初めてガチョウ料理をいただいた日は、スコーネに住む者として貴重な経験を積むことができた喜びで、お腹とともに、胸もいっぱいになりました。

a　ガチョウ料理はかつてはほか
の地域でも食べられていました
が、現在はガチョウ農家が多いス
コーネ地方の伝統として風習が
残っています。血のスープを全部
食べたら店員さんに褒められま
した。

a

b

b　シナモンがたっぷりかかった
リンゴのケーキ。バニラソースと
一緒にいただきます。

Swedish Things

愉快な名前をもつお菓子たち

　フィーカの時間を大切にするスウェーデンでは、お菓子の種類も豊富です。昔から愛されてきた定番のお菓子の中に、ちょっと愉快な名前を見つけました。

　まずは"ハッロングロットル（ラズベリーの洞窟）"。街のカフェでもよく見かける、中央にジャムを詰めて焼いた、ほろほろ食感のクッキーです。

　"ダムスーガレ"は掃除機の意味。細長い棒状の形が、1920年代に人気を博したエレクトロラックスの掃除機の形に似ているという理由でそう呼ばれるようになりました。クッキーやスポンジのかけらを集めてマジパンで包んであり、残り物の寄せ集めであることも名前の由来のひとつ。

　チョコレートとビスケットで作る"ラーディオカーカ（ラジオケーキ）"も、ダムスーガレと同じように家電製品に由来します。1920年代の貴重な娯楽だったラジオの形に似ていることから名付けられたそう。

　お腹を満たしながら名前の由来に思いを馳せて、なんだか楽しくなれるお菓子たちです。

a

a　お祝いのときによく食べられるプリンセストルタはお姫様のドレスのようなドーム型。

b　ダムスーガレ。いわれてみれば掃除機に見えるような。

c　お店ではあまり見かけないラーディオカーカ。ビスケットとチョコで簡単に作れます。

b

c

d

d　ざっくり、ほろほろ食感の"ドロンマル（夢）"もかわいらしい名前です。

ファーストアドベントから楽しむクリスマス

　クリスマスはスウェーデン人にとって夏至祭と並ぶ大切な行事。この日は故郷へ帰り家族や親戚と過ごす人が多く、日本のお正月に近いのかもしれません。

　クリスマスの4週間前の日曜日はファーストアドベント。この日からクリスマスまで毎週日曜日にキャンドルに1本ずつ火を灯します。窓には星形のライトを吊るし、サンタクロースのお手伝いをするといわれる妖精、トムテの人形を飾ってクリスマス気分を盛り上げます。一歩外に出ると、近所の家の窓にも同じように星形ライトが。温かな光が優しく窓辺を照らしています。日本のクリスマスのような派手さは少ないものの、建物との調和が取れていてほっと落ち着きます。

　クリスマス料理にはミートボールやサーモン、ニシンの酢漬け、クリスマスハムなどの定番の伝統料理をユールボードというビュッフェ形式でいただきます。毎年変わらない家庭の味を、家族と一緒に食べることを大切にするスウェーデン人。「たまにはいつもと違う料理を食べたりしないのかな？」と疑問に思ったこともありますが、日本のおせち料理と同じだと考えたら妙に納得。冬至を迎えたばかりの厳しい北欧の冬を楽しく過ごす人々の知恵と工夫がうかがえます。

a　キャンドルを4本用意
して、カウントダウンの準備
も万端に。
b　塩漬けしてゆでた豚肉
に、マスタードとパン粉を
混ぜたものを塗って焼くク
リスマスハム。

a

b

c　スパイス入りのホットワイン、
グロッグはクリスマスに欠かせな
い飲み物。アーモンドとレーズン
を入れていただきます。
d　光を表す黄金色をした、サフラ
ン入りパン、ルッセカットもクリス
マスの定番。毎年たくさん焼いて、
冷凍して少しずつ楽しみます。

c

d

スウェーデンの人々は
実は日本文化に興味津々！

私が北欧に惹かれたのと同じように、スウェーデンの人々も日本の文化や食べ物を好意的に見てくれているのを感じます。故郷のものを喜んでもらえると、やはり嬉しいものです。

普段はYouTubeを通して、主に日本の方にスウェーデンの文化を紹介していますが、ときどき日本の文化をスウェーデンの人たちに知ってもらう機会にも恵まれます。

移住2年目に、マルメにある日本雑貨店「ZAKKA」にて、ワークショップを開催。夫が作ったこけしの木地に、自由に絵付けをしてもらいました。飛び入りで参加してくれた女の子や、これから生まれる赤ちゃんにプレゼントするために来てくれたご夫婦も。抹茶のお菓子や大福など、和菓子を作って販売したところ、遠方から買い求めてくださった方もいらっしゃいました。

準備は大変でしたが、とても好評で充実感がありました。お互いの国をもっと好きになるきっかけになれたら、これほど嬉しいことはありません。

Chapter 4.

より豊かに生きるための
北欧流マインド

Ideas

文化や暮らしだけではなく、
スウェーデンの人々の考え方や価値観にも
大きく影響を受けました。
ささやかだけど豊かになれる、
日々の哲学や心構えをご紹介します。

45

自分にちょうどいいLagomな暮らしを見つける

　スウェーデン語で「ほどほどに、ちょうどいい」という意味のLagom（ラーゴム）。スウェーデン人の豊かな心を育てる、とても大切な言葉です。日本語に置き換えると、「いい塩梅で」とか「足るを知る」という意味にも訳せそうです。

　フィーカのときに、友人に「コーヒーの量はどのくらいがいい？」と聞いたら、「ラーゴムでお願い」と言われたことがあり、友人にとってのラーゴムはどのくらいだろう？と悩んだことがあります。

　スウェーデンでは、このラーゴムをさまざまなシーンで使います。たとえば、暮らしぶりや住まい、インテリアなどについて今の自分に合うものを選ぶこと。森へ行って木の実やキノコなどの自然の恵みを食べきれる分だけいただくのもラーゴム。お菓子作りでも、量や温度についてラーゴムという表現を使っているのを目にします。

　"ちょうどいい"加減は人それぞれ違うもの。多すぎず少なすぎず、ほどほどに無理をせず、自分にとってのラーゴムを見失わないこと。それが、幸せに暮らしていくことへつながっているのかもしれません。

a　自分にとってちょうどいい家具を探しに出かけた、マルメの家具屋さん。

b　ラーゴムがテーマの本も出版されています。

c　ついつい取りすぎてしまうビュッフェも、ラーゴムな量を心がけています。

郷に入っては郷に従え

　幼い頃から、父が転勤族だった関係で、日本各地を転々としていました。慣れ親しんだ土地から離れることを寂しく思い、泣くこともありました。しかし、成長するにつれて、その土地ならではの文化や風習、方言を楽しんでいこうという気持ちが芽生え、強くなっていった気がします。スウェーデンで暮らすようになってから、改めてこの「郷に入っては郷に従え」の精神を意識しています。

　日本にもスウェーデンにも、良いところもあれば悪いところもあります。「日本だったらこうなのに」という考えをなるべくもたず、その土地ならではの風習や文化を尊重して自分から近づいていくほうが、生活がずっと楽しくなると気がつきました。

　そのひとつが言語。スウェーデンの人は英語が得意な人が多いので、英語だけでも日常生活を送ることができます。でも、自分の国の言葉を外国から来ている人が話してくれたら、この国を愛してくれているんだなと嬉しく思ってくれるはずです。私もスウェーデンで生活する以上は、スウェーデン語でコミュニケーションをとろうと決めて、今も勉強を続けています。

a　ミートボールは、私の好きな
スウェーデン料理のひとつ。
b　スウェーデンの伝統を感じら
れるアイテムに心が惹かれます。

a

b

自分の好きに正直になる

　スウェーデン人の服装を見ていると、自分の気持ちに正直になって、着たいものを着ているという印象を受けます。

　「みんなが持っているから」とか「流行っているから」という理由でものを買ったり、行列に並んでまで買う、という光景もあまり目にしません。

　日本にいた頃は、「これは私には少し派手かな」「季節と外れた服装をしているかも」と、周囲の目を気にしてしまうときがありました。でも、スウェーデンに住んでから感じるのは、意外と誰も自分のことは気にしていないということ。それに気がついてから、なんだか心が楽になり、今では私も自分の気持ちに正直になって、着たいものを着ています。素敵だな、と思ったら積極的に試着をすることで、普段は着ないような服が実は自分に似合うということを発見するきっかけにもなりました。

　この気持ちの変化は、洋服だけでなく、日常生活にもいい影響を与えています。新しいことにチャレンジをしたり、のびのびと自分を表現することにもつながりました。

a　マリメッコの素敵なワンピース。自分には派手かなと思っても、いいなと思った服は試してみるようになりました。
b　繊細な針仕事による刺繍の美しさにはいつも魅了されます。

a

b

Ideas

ないものは工夫して手作りする

　特に食べ物に関しては、日本では当たり前に手に入るものがスウェーデンでは売っていない、ということが多くあります。最近はアジア食品店も増え、日本の食品が手に入りやすくなりましたが、値段が高く気軽には買えません。そんなときは、あるものでなんとか工夫することを楽しんでいます。

　たとえば、日本らしいお正月気分を味わおうと手作りしたおせち料理。伊達巻に使うはんぺんが手に入らず、白身魚をすりつぶして代用することで美味しく作ることができました。手作りすることで新たな発見があったり、あるものでなんとかしてみる創造性が発揮されることも。今では経験値がひとつ上がったような気分で、工夫することを楽しんでいます。

　海外に住んでいる日本人の方の中には、うどんや蕎麦を手打ちしている方もいらっしゃいます。私が恋しくなるのは、塩鮭や和菓子。サーモンは安く買えるものの“塩鮭”ではないので、自分で塩漬けにして焼くことを覚えました。ときどき無性に食べたくなるどら焼き、大福、抹茶羊羹などの和菓子も手作りに挑戦。鍋の中で踊る小豆を見ながら、何を作ろうかなと考えるのも楽しいひとときです。

a

b

a,b　餡子を炊いて作ったどら焼きとイチゴ大福。和菓子フィーカは至福の時間。

c　スーパーマーケットやアジア食品店でも、小豆を手に入れることができます。

d　セカンドハンドショップで見つけたパンケーキ用の型で、手作りしたたこ焼き。型を見つけた瞬間、頭の中がたこ焼きでいっぱいになりました。

c

d

自然の恵みをいただく権利と心構え

　スウェーデンに暮らす人なら誰にでも保証されている権利。それが「自然享受権」です。住居の敷地や畑を除けばどんな場所でも立ち入ることができ、自然環境を享受することが認められています。

　スウェーデンの子どもたちは、4歳から6歳くらいまでの間に、学校でこの権利について学びます。大切なのは、享受する権利だけではなく、そのために守らなければならないルールや倫理観についても同時に教えること。自然を享受するためには、土地の所有者に損害を与えることなく、人や生き物、植物に敬意を払って行動しなければなりません。家庭でも、森へピクニックに行ったり湖へレジャーに出かけたりする際に、子どもたちに繰り返し教えていくそう。自然に対する振る舞いは、見習うところがたくさんありそうです。

　私も通っていた移民向けの語学学校で自然享受権について教えてもらいました。つい欲張ってたくさん摘みたい気持ちに駆られますが、次の人のことを考え、食べきれる分だけ摘むようにしています。自然に感謝しながら、季節の恵みを大切にいただいています。

a　近所の散歩コースには、リンゴの木々があり、秋になるとたくさんの実をつけます。

b,c　赤いスグリの実とラズベリーも毎年の夏の楽しみです。

d　炎症を鎮める効果があるといわれるエルダーフラワー。レモンを加えてシロップを作ります。夏になるとシロップやジャム作りに必要なクエン酸がスーパーマーケットで売り切れになることも。

Ideas

キャンドルに火を灯して憩いの時間を

　スウェーデンに来てから日常使いするようになったもののひとつが、キャンドルです。暗く長いスウェーデンの冬を快適に過ごすための、欠かせないアイテム。火を灯すと、ふわっと暖かな空気と柔らかい光が広がり、時間がゆっくり流れているような気持ちになります。

　結婚記念日を迎えるたびにひとつずつキャンドルホルダーを増やしていく予定が、いつの間にか気に入ったものがあったら買うようになりました。イッタラなどのガラス製のキャンドルホルダーを中心に集めていて、気分や季節によって選んでいます。

　ちょっとゆっくりしたいなと思ったら、心のスイッチを切り替えるイメージで、外がまだ明るいうちから火を灯します。炎のゆらぎと人の鼓動は同じリズムといわれているとか。忙しくて心に余裕がないと思うときこそ、キャンドルに火を灯して、炎のゆらぎとともに過ごす時間を大切にしたいものです。ゆらめくキャンドルの灯りのもとで楽しむ食事やフィーカは、どこか味わい深く、特別に感じられます。

a

a　スウェーデン語で「忘れないで」と書かれた、キャンドルの消し忘れ防止のためのドアハンガー。

b　男の子のキャラクターが描かれたSolstickan（ソールスティッカン）はスウェーデンで最も親しまれているマッチです。

b

c　ポスクの時期には、ウサギのキャンドルホルダーと卵形キャンドルを組み合わせて使います。

d　いろいろなキャンドルホルダーをひとまとめにして保管しています。

c

d

Ideas

寒い日こそ自分が快適な服装を

　北欧の冬はとても寒いイメージがありますが、私が暮らすスコーネ地方は南部に位置していることもあり、真冬でも恐れていたほどの寒さはありません。それでも、晴れの日は少なく、年によってはマイナス10度以下になることもあります。冬真っ只中に移住した私は、日本から持ってきたコートでは寒さをしのげず、ガタガタと震えながらバスを待つ……なんてことが多々ありました。

　スウェーデンには、「悪天候なんてものはない、服装が悪いだけ」という意味のことわざがあります。天候に自分の気持ちや行動を左右されるのではなく、天候に耐えられるように衣服を準備することが快適につながる、という考えなのです。

　冬の外出時は、ニット帽をかぶり手袋をはめ、分厚いジャケットを着込んで、しっかり防寒します。夏でも、昨日まで半袖を着ていたのに、今日は寒いなと感じたら躊躇なくニットを着ます。

　人の目を気にすることなく、自分が快適だと思える服装をする。スウェーデンの人は、天気に順応する能力が高いなと、いつも感心しています。

a　冬支度中、ちょっと目を離した隙に、ウリが居心地よさそうに座っていました。
b　フィンランド出身のイラストレーター、クラウス・ハーパニエミのショール。冬はもちろん、夏の肌寒い夜や旅行中のホテル、機内などでも活躍します。
c　マルメの衣料品店の店先で売られていた、暖かそうなミトンたち。

a

b

c

Ideas

スウェーデンの大好きな言葉「Tack」

　普段の生活の中で一番よく耳にする言葉がTack（タック）。「ありがとう」という意味のスウェーデン語です。お店でのお会計のときや、入り口でドアを開けておいてくれたときなど、誰かの親切を感じる場面があったらいつでもTackと言い合います。日本では、つい「すみません」と恐縮してしまう場面も多いですが、本来はもっと「ありがとう」という言葉を使ってもいいように思います。

　移民のための語学学校に通っていたときに、「外国人にとって友達が作りやすい国」ランキングを知る機会がありました。スウェーデンのランキングは低く、スウェーデン人は仲良くなるまでに時間のかかる国民性だということを学びました。一見すると冷たい印象がありますが、でも実際はひとたび仲良くなればとても親切に接してくれます。街中で頻繁に飛び交うTackも、そんな国民性を表しているのではないかと感じています。

　スウェーデン語の「ありがとう」には、Tackのほかに「Tack så mycket（タック・ソ・ミュッケ：どうもありがとうございます）」や、「Tusen tack（トゥーセン・タック：直訳すると"千のありがとう"）」があります。

a 「ありがとう」の気持ちを込め
てプレゼントを探す時間。
b お店では店員さんだけでなく
お客さんも「Tack!」と感謝の気持
ちを表します。

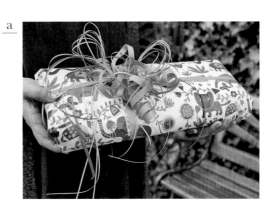

好きなものに囲まれて過ごす

　スウェーデンの人の住まいづくりは、居心地のよさが第一。家族みんなが心地よく暮らすためには、好きなものに囲まれて過ごすことが大事だと、スウェーデンの友人たちの暮らしぶりから教わりました。私もスウェーデンに移住してから、少しずつ家の中に自分の好きなものを増やしています。日本に住んでいた頃から好みのインテリアを楽しんできたので、ヴィンテージのオブジェやお皿などの定番北欧アイテムから、スヌーピーのジャムの空きびんや、かわいいお菓子の缶まで、大好きで愛着のあるものは日本から持ってきました。お気に入りのポストカード1枚を飾るだけでも部屋の雰囲気が変わって嬉しくなります。

　自分の好みのものであっても、住まいにフィットしない色やトーンのものはやはり浮いてしまいます。今のアパートの雰囲気に合うように、白や木目調のものを中心に選び、物はあまり多く置かず、すっきりとした部屋作りを心がけています。また、猫たちがイタズラをしないように、大切な置物は壁に取り付けた棚に飾ると決めています。自分の好きなものに囲まれた、居心地のよい空間作りの旅はまだまだ続いています。

a　デンマークで購入した、レゴブロックでできた花。本物の花のように花びんに生けて飾っています。

b　優しい木の温もりが感じられるカトラリーやブラシたち。

a

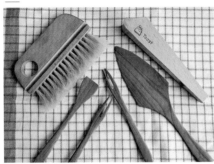

b

c　毎月フォトフレームに入れ替えて飾っているエルサ・ベスコフのポストカード『いちねんのうた』。

d　アナログな猫のキッチンタイマーは、料理やお菓子作りに欠かせない相棒。鳴らないときもあるけれど、顔を見ると許せてしまうくらいお気に入りです。

c

d

じゃがいもが余ったらスウェーデンの伝統料理に

　クリスマスや夏至祭、イースターなどの四季の行事で、よく食卓にのぼる定番の食材といえば、サーモンやじゃがいも、ディル。食べきれずに残ってしまった食材を使って、簡単で美味しい家庭料理として生まれ変わったのが、Laxpudding（ラックスプディング）です。

　"ラックス"とは、スウェーデン語でサーモンのこと。"プディング"と名前は付いていますが、オーブンで焼く、グラタンに近い料理です。

　炒めたたまねぎと、ゆでたじゃがいも、サーモン、ディルを重ねて層にして、卵液を流し入れてオーブンで焼きます。じゃがいもがたっぷりで、なかなかのボリューム！　サーモンのピンクとディルの緑の彩りもきれいで、焼いたら器のまま食卓に並べることができる手軽さも魅力です。熱々のうちに取り分け、澄ましバターとレモン汁をかけていただきます。素朴な味の中にディルがいいアクセントになり、北欧を感じる一品です。

　もしキッチンの片隅で余ったじゃがいもを見かけたら、スウェーデンの家庭料理に変身させて、救済してみてはいかがでしょうか。

Laxpudding
（ラックスプディング）

● 材料

［2〜3人分・直径19㎝の耐熱皿］

じゃがいも…500g

生サーモン…200g

たまねぎ…小1個（約100g）

バター…大さじ½

ディル…50㎖

A｜卵…2個

　｜牛乳…100㎖

　｜生クリーム…100㎖

　｜塩…小さじ¼

　｜胡椒…少々

レモン、澄ましバター…各適宜

★

● 作り方

1. じゃがいもを皮が付いたままたっぷりのお湯で少し固めにゆでる。ゆで上がったら、皮をむいて約5mmの厚さにスライスする。

2. サーモンを2〜3mmの薄切りにして、塩小さじ½程度（分量外）振っておく（スモークサーモンを使う場合は塩は不要）。

3. たまねぎを薄切りにして、バターを熱したフライパンに入れ弱火でしんなりするまで炒める。

4. ディルをみじん切りにする。

5. 耐熱皿にバター（分量外）を塗り、じゃがいも→サーモン→たまねぎ→ディルの順に重ね（★）、2〜3回繰り返す。一番上はじゃがいもにする。

6. ボウルにAを入れ混ぜ合わせ、5の耐熱皿に流し入れる。

7. 200度に予熱しておいたオーブンで約40分焼く（焼き色を見ながら調節する）。

8. 焼き上がったら、皿に取り分け、澄ましバターとしぼったレモンをかけていただく。

55

Mysigな時間を大切にする

　居心地のよい空間で、心からリラックスした気分であることを表現するスウェーデン語、Mysig（ミューシグ）。空間や場所、時間のほかにも、着ている洋服やアイテム、人物を指すこともあります。

　キャンドルの温かい光に包まれながら家族で食事をする時間や、ソファでくつろぐ時間などをミューシグと感じる人は多く、暖かいセーターをミューシグと表現したり、赤ちゃんを見てそう言うことも。何をミューシグと感じるのかは人それぞれですが、スウェーデン人が暮らしの中でとても大切にしている言葉です。

　私がミューシグを感じるのは、愛猫のウリとハナと戯れている時間。お気に入りのブランケットを掛けた膝に猫がのってくれ、なでているときに本当に幸せだなあと感じます。冬に寒いところから暖かな家に入り、玄関でお出迎えしてくれた猫たちの顔を見てほっと癒やされる時間もミューシグです。

　夏は、森や海へ行って自然の中でフィーカする時間も、心を落ち着かせてくれます。日々時間に追われて忙しくなりがちですが、毎日少しでもミューシグな時間をもつことで、心身のバランスが保てるような気がします。

a

a　夜、ウリを膝にのせて体温を感じながらゆったりと本を読む時間は最高にミューシグです。
b　まだ寒さが残る春のマルメの公園にて。コーヒー屋さんで買ったカフェオレの温かさとラテアートのハートに、ほっと心がゆるみました。

b

c

d

ふとした時間に
ミューシグは溢れている

e

c　暖かいブランケット、大きめのマ
グカップ、キャンドルの光。心地よさ
を感じるアイテムがたくさん。
d　椅子やテーブルが不揃いなのが
とても居心地がよいマルメの老舗カ
フェ。
e　ハナもカゴの中でミューシグ中。
f　ストックホルムの郊外にあるロー
センダール・ガーデン。にぎやかな都
会を離れ、リンゴの木の下でいただく
ランチは至福の時間。

Ideas

スウェーデンの人に聞いた
「私にとってのMysig」

心がほどける場所や時間を表すMysig（ミューシグ）。スウェーデンで暮らす皆さんはどんなときにミューシグを感じているのか、話を伺いました。

犬と過ごす時間や
編み物をしている時間が幸せ
[エリンさん]

ジュエリーブランド、セーゲン（P.56）の創業者であるエリンさん。愛犬と心を通わせる時間や編み物、縫い物に向き合う時間が、何より心地よい時間なのだと話してくれました。

友達とフィーカをしたり
一緒に夕食を食べている時間
[ベングト＆ロッタさん]

友人たちと家族ぐるみの付き合いをし、一緒に過ごす時間が心地よいというお二人（P.44）。キャンドルに火を灯して温かさを感じたり、ソファに座ってリラックスする静かなひとときもミューシグだそう。

土を触っているときに
一番心が満たされます
[リサ・ラーソンさん]

数々の陶芸作品を送り出し、スウェーデンはもちろん日本にもたくさんのファンがいるリサさん。土を触っている時間にミューシグを感じるとは、陶芸家らしいとても素敵なお答えです。

家で本を読んだり
テレビを見ているときや、
犬と一緒にいるとき [ペッテルさん]

普段、クリッパン（P.50）の社長としてエネルギッシュに仕事をしているペッテルさんのミューシグは、仕事を離れて家でゆったりと過ごす時間。愛犬と戯れる時間も、毎日欠かせないそうです。

家族や友人と話をしたり、
散歩をする時間 [ワーナー＆レーナさん]

演奏仲間のレーナと旦那様のワーナーのミューシグに大切なものはなんといっても家族。夫婦で好きな音楽を聴いたり、お孫さんと過ごす時間がとてもミューシグだと教えてくれました。

Mysig に大切なのは "のんびり。"
日本のこたつや居酒屋の個室は
とっても Mysig [エリンさん]

日本が大好きな友人・エリンのミューシグは、身も心ものんびりしてこそ感じるもの。友達と過ごす時間ならどこでもミューシグだし、逆に素敵なカフェにいても心に余裕がなければミューシグは感じられないそう。

自然に囲まれた風景に
Mysig を感じます [ヤートさん]

私にいつも森の植物や動物について教えてくれるヤート。自然の多い場所に暮らし、特に5月の初めの風景はこの上なく美しいと話してくれました。フォークダンスを踊っているときもミューシグだそう。

tanuko

スウェーデン在住。YouTubeチャンネル「猫と北欧暮らし
tanuko」を運営。四季折々の美しい自然や街並み、雑貨店
巡り、愛猫との暮らしなどを投稿し、ほっこりとした癒や
しの動画が好評を博している。本書が初めての著書となる。
YouTube：「猫と北欧暮らし tanuko」
https://www.youtube.com/@tanuko.

北欧の心地よい暮らしと55の小さな幸せ

2023年3月1日　初版発行

著者／tanuko

発行者／山下 直久

発行／株式会社KADOKAWA
〒102-8177　東京都千代田区富士見2-13-3
電話　0570-002-301(ナビダイヤル)

印刷所／大日本印刷株式会社